krsn

La collection design&designer est éditée par
PYRAMYD ntcv
15, rue de Turbigo
75002 Paris – France

Tél. : 33 (0) 1 40 26 00 99
Fax : 33 (0) 1 40 26 00 79
www.pyramyd-editions.com

Direction éditoriale : Michel Chanaud, Patrick Morin, Céline Remechido
Conception graphique de la couverture : Pyramyd ntcv
Suivi éditorial : Nathalie Le Stunff assistée de Noam Keim
Conception graphique du livre : Pierre Klipfel
Portraits de la couverture : Ulf Andersen
Traduction : Paul Jones
Correction : Dominique Védy
Conception graphique de la collection : Super Cinq

ISBN : 2-35017-010-1
ISSN : 1636-8150
Dépôt légal : 2ᵉ semestre 2005

Imprimé en Italie par Eurografica

krsn

préfacé par audrey blanquart

6 h 50. Le réveil biologique sonne

KRSN se lève. Le café coule. La radio grésille les premières infos. Les soldats américains sont entrés dans Kaboul. Meurtre pédophile en Champagne. Arrestation de skinheads. La journaliste donne quelques détails. Les deux skins s'embrassent, s'agrippent, se caressent délicatement l'oreille. L'ironie sort noire du stylo de KRSN. Le trait sur la feuille blanche est simple, épuré. KRSN se concentre sur lui, le dépouille pour plus d'expressivité, joue sur le contraste qu'il produit avec la forme et les matières. Sensible à l'atmosphère générale qui se dégagera de l'image. Dégoût, colère, rire, amusement… Son trait cru et sensible provoque l'émotion. À la manière d'Egon Schiele, qu'il admire, il déforme les corps pour les faire parler. Tour à tour, les mains et les pieds deviennent minuscules, le cul énorme, l'épaule désaxée, la chevelure envahissante…
Les infos se terminent. Soleil sur toute la France.

06:50. The biological alarm clock goes off

KRSN gets up. The coffee flows. The first news crackles from the radio. The American soldiers have entered Kabul. Paedophile murder in Champagne. Skinheads arrested. The journalist gives a few details. The two skinheads embrace in a clinch, delicately stroking each other's ear. KRSN's pen deals in dark irony. The line-work on the white sheet is simple and stark. KRSN concentrates on it, paring it down for greater expressiveness, playing with the contrast it produces between form and support material. Sensitive to the general mood the image will exude. Disgust, anger, laughter, amusement… His raw, sensitive linestyle arouses emotion. In the manner of Egon Schiele, whom he admires, KRSN deforms bodies to let them speak. In turn, hands and feet grow tiny, bums enormous, shoulders skewed, hair invasive…
The news is finishing. It's going to be sunny all over France.

10 h 28. Coup de sonnette

KRSN découvre les premières figurines en étain réalisées pour « Kickin' ass », l'expo à laquelle il travaille depuis huit mois. Une galerie de baskets en tissu. Cette fois, c'est le textile qui l'a inspiré. Mais le support peut être tout et n'importe quoi. Une surface est un peu comme une rencontre. Il découvre un objet, un espace qui l'attire, l'inspire et tente de dessiner sur celui-ci quelque chose qui s'y trouvera bien, sans pour autant qu'un rapport logique ne s'instaure entre eux. Bidon ou plaque en alu, verre, scie à métaux, bombe oxydée, tôle, bois… Parfois, ça marche (« Mutal Boxes », « Pi days » ou encore l'expo « Squat »), parfois non…

Quelquefois, c'est une commande qui est à l'origine d'un nouveau support comme pour le premier maxi d'Institubes, les t-shirts de Sixpack ou les pages d'un magazine. Souvent, c'est simplement le papier machine, un basique, perpétuellement griffonné à ses côtés…

10:28. The doorbell rings

KRSN unwraps the first bronze figurines made for "Kickin' ass", the show he's been working on for eight months. A gallery of fabric trainers. This time he's been inspired by textiles. But the medium matters little. A surface is a bit like an encounter. KRSN discovers an object or space that appeals to him, inspires him, and tries to draw on it something that will be comfortable in it, though without a logical link being established between them. A fuel can or aluminium sheet, glass, a metal saw, rusty spray can, metal plate, wood… Sometimes it works ("Mutal Boxes", "Pi days", or the "Squat" show), sometimes it doesn't…

Occasionally it's a commission that gives rise to a new support, as with the first 12" single for Institubes, the T-shirts for Sixpack, or the pages of a magazine. At his side is often just basic machine-grade paper stock, on which he is perpetually scribbling…

14 h 20. Pâtes ou…

Pâtes ? Sur les étagères du frigo, une barquette de beurre entamée, deux ou trois légumes, un camembert… Mais ce frigo presque vide est-il vraiment celui de KRSN ? Ou le vôtre ? Le mien ? Vision ordinaire et donc des plus intéressantes… Car le quotidien est pour lui matière à créer. KRSN puise ses sujets dans la vie de ses voisins, et tout y passe : courants musicaux, modes adolescentes, scènes de rue, histoire mondiale, bandes dessinées, pochettes de disques, amours malheureux, rapports économiques, cuisine asiatique, culture populaire internationale, Disney… Mais sous son regard, Donald et ses neveux vieillissent un peu… Ils pataugent dans le monde de Blanquet, suivent les frasques désopilantes de ses héros, plongent dans l'univers poétique de Mattoti ou de Raymond Petitbon, se noient dans l'humour noir de Burns. Aucun personnage ne sortira indemne du pinceau de KRSN après ces longs voyages underground. Et c'est ce que semblent dire ces Monsieur et Madame Tout-le-Monde pris sur le vif de leur paradoxe, les blaireaux, les rats, les chats ou les chiens issus de son imaginaire… Il joue avec ses petites créa-

14:20. Pasta or…

Pasta? On the fridge shelves, an opened tub of butter, a few vegetables, a Camembert cheese… But is this near-empty fridge really KRSN's? Or yours? Or mine? It's a mundane vision, and all the more interesting as a result… To him, the everyday and the ordinary are creative raw materials.

KRSN sources his subjects in his neighbours' lives, and nothing's left out: musical trends, teen fashion, street scenes, world history, comics, disc covers, soured love stories, economic ties, Asian cooking, international popular culture, Disney… But in his eye, Donald and his nephews age a little… They paddle around in Blanquet's world, watching the hilarious escapades of the comic artist's heros; dive into the poetical world of Mattoti and Raymond Petitbon; drown in Burns' black humour. No character, after these long underground journeys, emerges unscathed by KRSN's brush. And that's what these Average Joes and Joannas seem to be saying, caught on the hoof of their paradox, and the badgers, rats, cats and dogs spawned by his imagination… KRSN toys with these little creatures, wraps them in absurdities, and with a certain delectation

tures, les habille d'absurdités, les boutonne avec une certaine délectation dans l'étroitesse de leurs habitudes, jusqu'à l'inconfort. Absurdité ludique. Il s'amuse et se délecte. Chaque image, au-delà de ce qu'elle représente, laisse entrevoir l'œil baladeur de l'auteur et son plaisir, pur, à interpréter une scène volée au quotidien.

15 h 33. KRSN traîne les pieds
Ou plutôt ses baskets le traînent vers le métro, direction boulot.
Saint-Ambroise. Talons hauts, mocassins, tongs, santiags ou escarpins, les autres pompes sont sur le qui-vive, à l'affût du premier grondement de rame. Quelques pas derrière, la vieille paire de baskets de KRSN s'est arrêtée. Elles aussi attendent, mais ça, elles l'ont déjà oublié et sont parties, la tête ailleurs. Cailloux, bombes oxydées, mauvaises herbes… Elles respirent. Et s'interrogent. De l'autre côté des chemins de fer, il y a le chantier, ses camions oubliés. Comment y aller ? Bonne question. Comme à son habitude, la route se laisse faire, s'invente pas à pas. Les

buttons them up uncomfortably tight in their narrow habits. An absurd bit of fun. He enjoys himself, relishes the job in hand. Each image, besides what it represents, offers a glimpse of its creator's roving eye and the sheer pleasure he takes in interpreting a scene plucked from daily life.

15:33. KRSN drags his feet
Or rather, his trainers drag him to the subway, en route to work.
Saint Ambroise subway station. High heels, loafers, flip-flops, cowboy boots, court shoes, all the other footwear's on the lookout, alert to the first rumble of a train. A few steps back, KRSN's old trainers have stopped. They're waiting too, but they've already forgotten, and they're miles away. Stones, rusty spray cans, weeds… Now they can breathe. And ponder. Beyond the railway tracks is his work in progress, his abandoned trucks. How to get over there? Good question. As usual, the route gives way, made up as he goes along. Quarter-hours elapse. After skimming over a few fences and folded metal sheet, the trainers find them-

quarts d'heure passent. Après avoir frôlé quelques grilles et tôles pliées, les baskets se retrou-
vent dans les flaques noirâtres du bâtiment désaffecté. Décidément un bon plan. Des murs à s'en
tordre le cou, ça grouille de couloirs et d'antiques machines, ça sent le rat et le temps arrêté.
Délicieux dédale. À droite ou à gauche? Peu importe le sens... Si ce n'est pour le remettre en
cause. Les baskets sont dyslexiques. Elles cherchent partout la polysémie des images et des
objets. C'est comme ça qu'elles avancent. Nouveau pas de côté. Les pompes explorent le béton
et sortent quelques gribouillis sur papier chiffonné. Premier jet de peinture, première goutte sur
son pif de cuir. Elles savourent.
Plus tard, plus haut, elles observent la ville, terrain vague la nuit. Elles se posent. Se reposent
devant ces immeubles, ces boulevards. Les rues de Pavie, les murs de Schwäbisch Gmünd, les
gouttières de Differdange, les courants d'air de Chicago... Elles pensent déjà ailleurs. Déjà à faire.
Mouvement sourd, le métro bouscule les songes de KRSN. Les centaines de chaussures se pres-
sent autour des portes. Les deux baskets se regardent.

selves in the inky puddles of the disused building. The real deal, this place. Walls wherever you look, a laby-
rinth of corridors and ancient machinery; the smell of rats and time stood still. A delightful maze. Right or
left? It doesn't matter... except for his self-critique. The trainers are dyslexic, constantly searching for
multiple meanings of images and objects. That's what keeps them moving forward. Another sideways step.
They explore the concrete and do some scribbles on crumpled paper. Then a first squirt of paint, and the
first drops falling on the leather toe-caps. The trainers lap it up.
Later, higher up, they survey the city, a wasteland by night. They take a break. Have a rest outside these
blocks of flats, these boulevards. The streets of Pavia, the walls of Schwäbisch Gmünd, the drainpipes of
Differdange, the gusting wind of Chicago... Their thoughts are already elsewhere. Already making stuff.
The subway train jerks clunkily, trips KRSN's daydream. Hundreds of shoes mass around the doors. The
two trainers glance at each other.
Right: "After you, old chap..." Left: "No no, please..."

La chaussure droite « À toi l'honneur… » La gauche « Non, non, après toi… »

16 h 10. Réunion professionnelle

Dans l'ascenseur entre deux bonjours, KRSN serre la main à une nouvelle idée. Prisonnier derrière les carreaux de son cahier, le salarié est à l'étroit dans son col blanc. Deux coups de bombe pour les yeux, seule expression fatiguée que son visage a conservée, quelques coups de crayon pour tracer un moignon, un peu de peinture pour colorer cette réalité. Quelques mois plus tard sous des jets de bombe noire, c'est avec sa cravate que le patron s'étrangle, au milieu d'un vieux hangar. Mélange de crayon, de bombe, de peinture… KRSN varie ses outils de travail. Plutôt que de privilégier l'un d'eux en particulier, il préfère les tester, les croiser. Il orchestre en tâtonnant et cette création expérimentale se nourrit aussi des erreurs qui s'y glissent. Attentif et touché par ces hasards créatifs, il laisse naître ces espaces inattendus et les retravaille pour aller au-delà de l'intention initiale.

16:10. Business meeting

In the lift between a *Bonjour* or two, KRSN shakes hands with a fresh idea. The employee is imprisoned behind the grid of his notebook, cramped in his white collar. Two spray squirts for the eyes, the only jaded expression left on his face, a few pencil strokes to shape a stump, and a bit of paint to colour this piece of reality. A few months later, amid clouds of black spray, his boss strangles himself with his tie in an old warehouse. A blend of pencil, spray, paint… KRSN varies his worktools. Rather than giving one star billing, he prefers to experiment with them, to cross-fertilise. His orchestrations grope their way forward, and this experimental form of design also feeds on the errors that slip in. Attentive to these creative quirks, and moved by them, he unfurls unexpected spaces and then reworks them, reaching beyond his initial intention.

18:00. KRSN walks home

It's to check out new stuff: stickers, window displays… He might bump into some of his anthropomor-

18 heures. KRSN rentre à pied chez lui

Histoires de faire un détour par les nouveautés : stickers, vitrine… Au détour d'une rue, il recroisera peut-être quelques-unes de ses bestioles anthropomorphes fumant la pipe sur une palissade en bois ou l'un de ses personnages pirouettant sur une camionnette. Tous ont l'air de s'amuser là où ils sont et jouent avec le décor dans lequel ils sont nés.

Petit à petit, au fil de ses découvertes, de ses préoccupations artistiques, des commandes qu'on lui passe, KRSN affine et précise son écriture, élargit son regard. Avec l'illustration, notamment, sont apparues certaines contraintes, des textes sur lesquels s'appuyer ou rebondir, de nouveaux thèmes pour l'inspirer. Il développe ainsi un style particulier où il utilise le graffiti comme moyen d'illustrer (« *Sometimes, I'm dreaming* », « *Corporate White Males have feelings too* »). Son travail est en perpétuelle évolution.

phous insect-beasties smoking a pipe on a wooden hoarding, or one of his characters pirouetting on the side of a van. They all seem to be having fun right where they are, and playing with the setting which gave birth to them.

Little by little, through his discoveries, artistic interests and commissions, KRSN is refining and honing his style, and broadening his scope. Illustration is proving especially conducive – throwing up certain constraints, texts he can feed on or bounce off, new themes to inspire him. And so he's developing a particular style, using graffiti as a means of illustration (*"Sometimes, I'm dreaming"*, *"Corporate White Males have feelings too"*). His work is evolving all the time.

21:00. The Daniel Johnston CD is spinning

Naivety, soaring enthusiasm and despair entwine. Maybe the singer's whispering constantly in KRSN's ear? And perhaps it's no coincidence that his work shows this singular balance. As with a certain strand of Eastern

21 heures. Le CD de Daniel Johnston tourne

Naïveté, engouement et désespoir s'y mêlent. Peut-être le chanteur chuchote-t-il à tout moment aux oreilles de KRSN ? Et ce n'est pas un hasard si l'on retrouve cet équilibre singulier dans son travail. À l'image d'une certaine littérature des pays de l'Est, des univers sombres kafkaïens et de ceux de Kundera, l'humour noir est l'épine dorsale de son travail. Et il n'est pas de dessins dont la situation originale, inspiratrice, n'ait été au préalable soigneusement et méticuleusement caressée à la hache, teintée de ridicule et d'une ironie aiguë, où l'absurde côtoie et remet en cause ce qui existe de plus trivial.

21 h 10. KRSN arrose ses plantes

22 heures. KRSN invente du bout de son crayon les traits d'une fille

Elle tombe et tourne sur elle-même des milliards de fois, bras en arrière sur le maxi, *beat down*.

European literature, and the dark worlds of Kafka and Kundera, black humour is the backbone of his work. And every single one of his drawings – with their original, inspirational situations – has been carefully, meticulously, caressingly coaxed out, and laced with ridicule and acute irony; the absurd sits alongside, and challenges, life's most trivial minutiae.

21:10. KRSN waters the plants

22:00. A girl's features flow from the tip of KRSN's pencil

Falling and turning on herself a billion times, arms thrown backwards on the *beat down* 12".

1H50. KRSN has fallen asleep on the 120 pages of the book in your hands

Maybe you won't see everything that I've found. Some readers will sense the impertinence, others the razor-

1 h 50. KRSN est couché sur les 120 pages du livre que vous feuilletez

Peut-être n'y verrez-vous pas tout ce que j'y ai trouvé. Certains sentiront de l'impertinence, d'autres une référence pointue, d'autres encore un hommage en forme de pied de nez. L'ami pourra y trouver une évocation de l'ordre du privé.

À chacun sa propre interprétation. C'est ce qu'il recherche. L'ambivalence tient une grande place dans ses travaux, parfois jusqu'à en être elle-même le prétexte à créer. Les images sont comme des haïkus, des propositions où chacun reste libre d'en imaginer l'histoire, d'y trouver une réponse ou un mystère. Ses créations oscillent entre plusieurs niveaux de lecture, avec toujours une grande exigence.

Voici un livre à regarder et à rouvrir d'ici à quelque temps, différemment.

Audrey Blanquart

sharp references, and others a poke-in-the-eye tribute. Friends will find an evocation of the private domain. Each to his own reading. That's what KRSN is after. Ambivalence has a big place in his work, and sometimes is even the creative pretext. His images are like haikus: propositions where each of us is free to imagine the story, and to find an answer or come up against a mystery. His creations waver between several levels of interpretation, always to exacting standards.

This is a book to look at and then revisit afresh, a while from now.

Audrey Blanquart

HELLO MY NAME IS
PROJECTION VIDÉO
FESTIVAL « SPLASH CITY LIGHTS »
MARSEILLE
2005

HELLO MY NAME IS
VIDEO PROJECTION
"SPLASH CITY LIGHTS" FESTIVAL
MARSEILLE
2005

PAGES 16-19 :
CELLULAR, SOUCIS DOMESTIQUES,
« BUBBLEGUM » ET DIVERS PROJETS
DE SÉRIGRAPHIE RÉALISÉS
OU OUBLIÉS
2003-2005

PAGES 16-19:
CELLULAR, [DOMESTIC WORRIES],
"BUBBLEGUM" AND VARIOUS
REALISED OR FORGOTTEN
SCREENPRINT PROJECTS
2003-2005

SUR LE CHEMIN DE L'ÉCOLE
RECHERCHE PERSONNELLE
STYLO BILLE SUR PAPIER
MACHINE
21 x 29,7 CM
2004

[ON THE WAY TO SCHOOL]
PERSONAL RESEARCH
BALLPOINT PEN ON
MACHINE PAPER
21 x 29,7 CM
2004

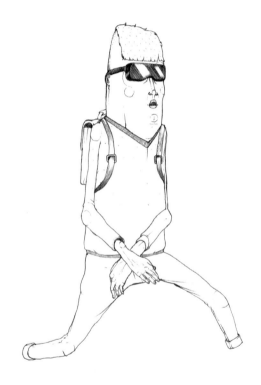

DER MUSSOLINI – D.A.F.
PROJET PERSONNEL
TECHNIQUES MIXTES
2005

DER MUSSOLINI – D.A.F.
PERSONAL PROJECT
MIXED MEDIA
2005

LA NONNE À LA BÛCHE
PROJET PERSONNEL
TECHNIQUES MIXTES
2004

[NUN WITH LOG]
PERSONAL PROJECT
MIXED MEDIA
2004

FRÈRE ET SŒUR
PROJET PERSONNEL
STYLO BILLE SUR PAPIER MACHINE
21 x 29.7 CM
2004

[BROTHER AND SISTER]
PERSONAL PROJECT
BALLPOINT PEN ON MACHINE PAPER
21 x 29.7 CM
2004

SWEATSHOP
PROJET PERSONNEL ÉDITÉ
SOUS FORME D'AUTOCOLLANT
STYLO BILLE SUR PAPIER MACHINE
15 x 21 CM
COLLECTION PRIVÉE
2002

SWEATSHOP
PERSONAL PROJECT
PUBLISHED AS A STICKER
BALLPOINT PEN ON MACHINE PAPER
15 x 21 CM
PRIVATE COLLECTION
2002

FLASHING SIGNS
PROJET PERSONNEL
STYLO BILLE SUR PAPIER MACHINE
21 x 29.7 CM
2004

FLASHING SIGNS
PERSONAL PROJECT
BALLPOINT PEN ON MACHINE PAPER
21 x 29.7 CM
2004

MONSTER MESO
BLUE JEANS BOP – MÉTAL
WAD MAGAZINE N° 25
TECHNIQUES MIXTES
2005

MONSTER MESO
BLUE JEANS BOP – METAL
WAD MAGAZINE NO.25
MIXED MEDIA
2005

BILLY KEV
BLUE JEANS BOP – VINTAGE
WAD MAGAZINE N° 25
TECHNIQUES MIXTES
2005

BILLY KEV
BLUE JEANS BOP – VINTAGE
WAD MAGAZINE NO.25
MIXED MEDIA
2005

TU TE SOUVIENS D'ELLE ? x 2
PROJET PERSONNEL
STYLO BILLE SUR PAPIER MACHINE
15 x 21 CM
2005

[REMEMBER HER?] x 2
PERSONAL PROJECT
BALLPOINT PEN ON MACHINE PAPER
15 x 21 CM
2005

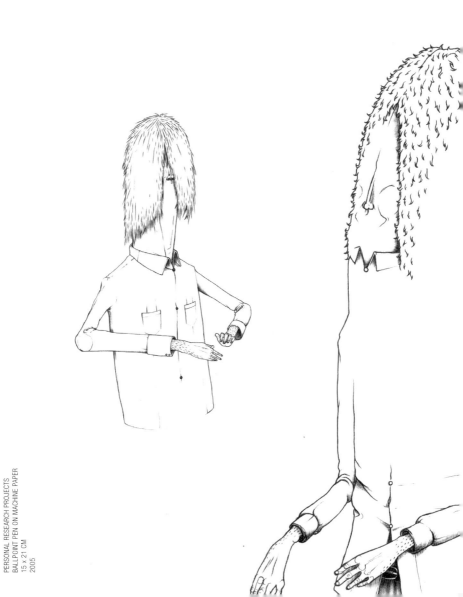

ANDROGYNE ARTY N° 1 ET N° 2
PROJET PERSONNEL
STYLO BILLE SUR PAPIER MACHINE
21 x 29,7 CM
2005

ARTY ANDROGYNE NO.1 AND NO.2
PERSONAL PROJECT
BALLPOINT PEN ON MACHINE PAPER
21 x 29.7 CM
2005

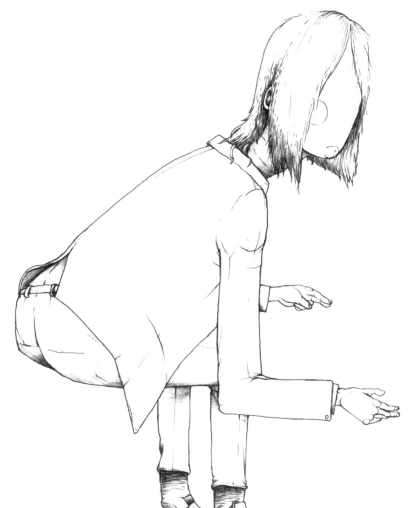

TRANSFERT AU TRICHLORÉTHYLÈNE
SUR PAPIER DE SOIE
65 x 50 CM
EXEMPLAIRE UNIQUE
« THE SEXPO »
GRENOBLE, 2003

TRICHLORETHYLENE TRANSFER
ON SILK PAPER
65 x 50 CM
SOLE COPY
"THE SEXPO"
GRENOBLE, 2003

PROJET PERSONNEL
TECHNIQUES MIXTES SUR PAPIER
30 x 30 CM
2002

PERSONAL PROJECT
MIXED MEDIA ON PAPER
30 x 30 CM
2002

34

LE JARDINIER
PROJET PERSONNEL
TECHNIQUES MIXTES SUR CARTON
21 x 25 CM
2002

[THE GARDENER]
PERSONAL PROJECT
MIXED MEDIA ON CARD
21 x 25 CM
2002

LE VÉLO D'AUDREY
TECHNIQUES MIXTES SUR CARTON
21 x 29,7 CM
COLLECTION PRIVÉE
2002

[AUDREY'S BICYCLE]
MIXED MEDIA ON CARD
21 x 29.7 CM
PRIVATE COLLECTION
2002

SANS TITRE
PROJET PERSONNEL
TECHNIQUES MIXTES SUR CARTON
20 x 30 CM
2005

UNTITLED
PERSONAL PROJECT
MIXED MEDIA ON CARD
20 x 30 CM
2005

MAC BETH

LES PUISSANCES OBSCURES, NOUS DISENT LE VRAI,
NOUS GAGNENT PAR FUTILITÉS HONNÊTES,
POUR NOUS TRAHIR
DANS LES PLUS GRAVES CIRCONSTANCES

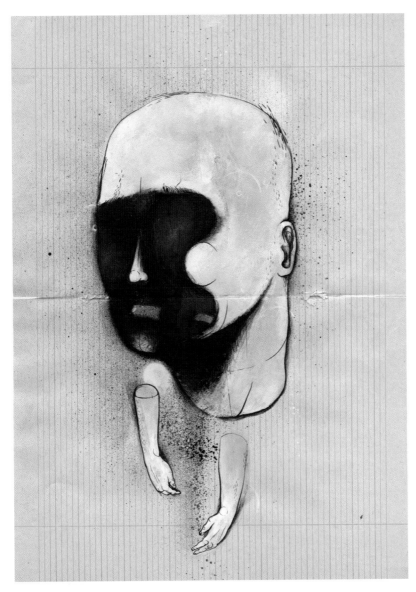

MAC BETH
LE RIRE DES SORCIÈRES
FIGURES FUTUR
CONCOURS JEUNES ILLUSTRATEURS
TECHNIQUES MIXTES SUR CARTON
25 x 30 CM, 2001

MAC BETH
[WITCHES LAUGHING]
FIGURES FUTUR
YOUNG ILLUSTRATORS' COMPETITION
MIXED MEDIA ON CARD
25 x 30 CM, 2001

SANS TITRE
PROJET PERSONNEL
TECHNIQUES MIXTES
SUR PAPIER
21 x 25 CM
2002

UNTITLED
PERSONAL PROJECT
MIXED MEDIA ON PAPER
21 x 25 CM
2002

PIXELS ARE MY REALITY
PROJET PERSONNEL
TECHNIQUES MIXTES ET
DIMENSIONS VARIABLES
2005

PIXELS ARE MY REALITY
PERSONAL PROJECT
MIXED MEDIA AND
VARIABLE DIMENSIONS
2005

CELLULAR 2005
PROJET PERSONNEL
TECHNIQUES MIXTES
ET DIMENSIONS VARIABLES
2005

CELLULAR 2005
PERSONAL PROJECT
MIXED MEDIA AND
VARIABLE DIMENSIONS
2005

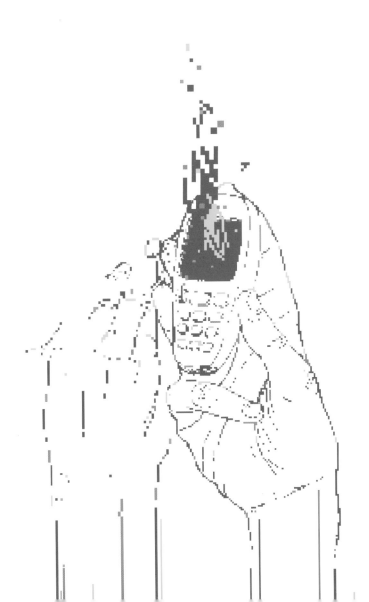

ECHOES FROM AN ABORTED FUTURE
POCHETTE DE DISQUE
PROJET NON RETENU
TECHNIQUES MIXTES
2005

ECHOES FROM AN ABORTED FUTURE
DISC COVER
UNCHOSEN DESIGN
MIXED MEDIA
2005

TTC
BÂTARDS SENSIBLES
COUVERTURE DU MAGAZINE
CLARK N°13 AVEC AKROE
2004

TTC
[SENSITIVE BASTARDS]
COVER OF *CLARK* MAGAZINE NO.13
WITH AKROE
2004

EAST 1 ET EAST 2
DÉCORATIONS DE PLANCHES
À ROULETTES « ENDORMIES »
POUR EAST
2004

EAST 1 AND EAST 2
SHELVED SKATEBOARD
DECORATIONS FOR EAST
2004

CLOWN DON'T STOP
PROJET PERSONNEL
TECHNIQUES MIXTES SUR PAPIER
20,5 x 30 CM
2003

CLOWN DON'T STOP
PERSONAL PROJECT
MIXED MEDIA ON PAPER
20,5 x 30 CM
2003

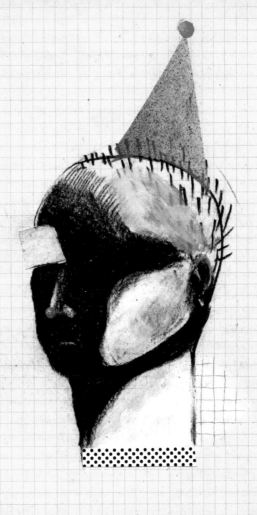

DUST TO WORK N°1
TECHNIQUES MIXTES
SUR NANAR
31,5 x 50 CM
EXPOSITION « SQUAT »
DIFFERDANGE, LUXEMBOURG
2003

DUST TO WORK NO.1
MIXED MEDIA ON NANAR
31.5 x 50 CM
"SQUAT" EXHIBITION
DIFFERDANGE, LUXEMBOURG
2003

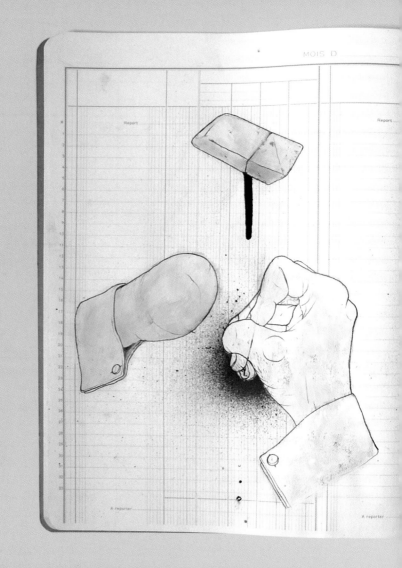

SPORTING CLUB
TRISHA, CRYSTAL ET SAMANTHA
PORTENT DES VÊTEMENTS
GRIFFÉS HIXSEPT
2004

SPORTING CLUB
TRISHA, CRYSTAL AND SAMANTHA
WEARING HIXSEPT CLOTHES
2004

SKATEBOARDER
PROJET PERSONNEL
TECHNIQUES MIXTES ET
DIMENSIONS VARIABLES
2005

SKATEBOARDER
PERSONAL PROJECT
MIXED MEDIA AND
VARIABLE DIMENSIONS
2005

TOI-MÊME TU SAIS
PROJET PERSONNEL
TECHNIQUES MIXTES ET
DIMENSIONS VARIABLES
2005

[YOU, YOU KNOW]
PERSONAL PROJECT
MIXED MEDIA AND
VARIABLE DIMENSIONS
2005

BANALITÉS
SEPT IMAGES DEUX COULEURS
(TONS DIRECTS)
DANS UNE POCHETTE SÉRIGRAPHIÉE
CENT EXEMPLAIRES
2004

[BANALITIES]
7 IMAGES 2 COLOURS
(PANTONE COLOURS)
IN A SCREENPRINTED SLEEVE
100 COPIES
2004

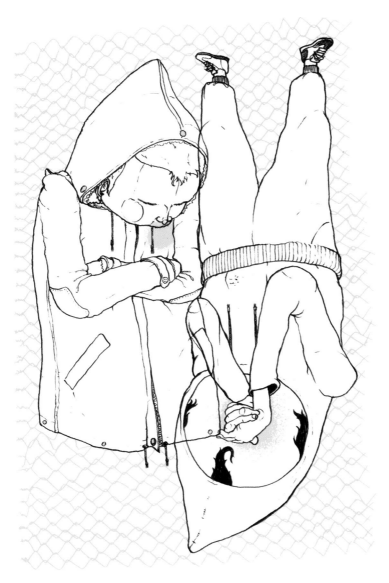

AMSTRADUS : LES ANNÉES SYNTHPOP
ÉLAN D'HOMMAGE SPONTANÉ
D'AKROE ET KRSN
2005

[AMSTRADUS: THE SYNTHPOP YEARS]
SURGE OF SPONTANEOUS TRIBUTES
BY AKROE & KRSN
2005

Amstradus – Death Amplifications.
Desolation tribute.

ALL OVER N° 3
PROJET PERSONNEL
TECHNIQUES MIXTES
ET DIMENSIONS VARIABLES
2005

ALL OVER NO.3
PERSONAL PROJECT
MIXED MEDIA AND
VARIABLE DIMENSIONS
2005

beat
down

PARA ONE

THE *BEAT DOWN* EP / PARA ONE
INSTITUBES 12 002
DIRECTION ARTISTIQUE : AKROE
2003

THE *BEAT DOWN* EP / PARA ONE
INSTITUBES 12 002
ART DIRECTION: AKROE
2003

beat
down PARA ONE

Face A / 01 : Beat down featuring Tes, TTC, D'Oz & Orgas
Face A / 02 : J'aimerais bien. 3'31 min
Face A / 03 : Beat down instrumental. 3'52 min
Face B / 01 : Turtle trouble. 4'29 min
Face B / 02 : Nobody cares. 4'38 min

institubes [PIAS]

WEAPON SEMINAR
ILLUSTRATION D'ARTICLE
SLEAZENATION N° 29
2003

WEAPON SEMINAR
ILLUSTRATION FOR ARTICLE
SLEAZENATION NO.29
2003

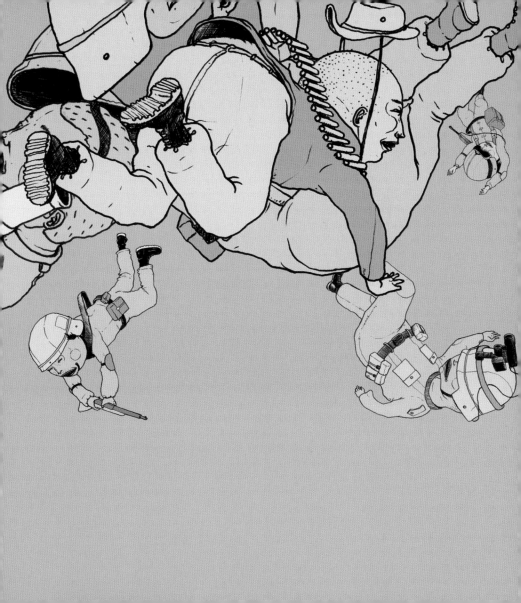

PEINTURES
2003-2005

PAINTINGS
2003-2005

ON THE ROAD
PLAYGROUND
WAD MAGAZINE N° 22
2004

ON THE ROAD
PLAYGROUND
WAD MAGAZINE NO.22
2004

VIVIENNE WESTWOOD
REINE DES SANS-CULOTTES
WAD MAGAZINE N° 24
2005

VIVIENNE WESTWOOD
[QUEEN OF THE SANS-CULOTTES]
WAD MAGAZINE NO.24
2005

MAGASIN SIXPACK
NIVEAU ZÉRO
PEINTURE GLYCÉRO
2003

SIXPACK STORE
GROUND FLOOR
GLYCERINE PAINTING
2003

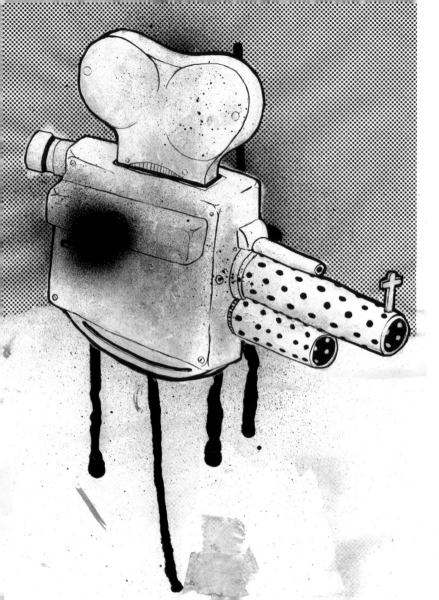

LE CINÉMA AMÉRICAIN
VERSUS MAGAZINE N° 4
TECHNIQUES MIXTES
SUR PAPIER
2003

[AMERICAN CINEMA]
VERSUS MAGAZINE NO 4
MIXED MEDIA ON PAPER
2003

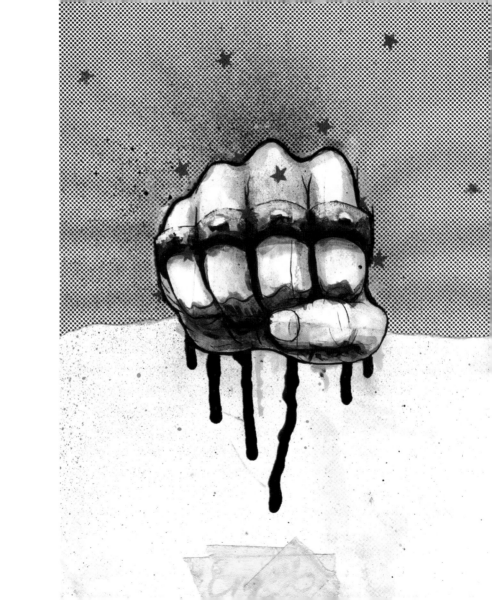

T-SHIRTS DESIGN
SIXPACK VS KRSN
2003-2005
PHOTOGRAPHIES : JULIEN CLAESSENS

DESIGNER T-SHIRTS
SIXPACK VS KRSN
2003-2005

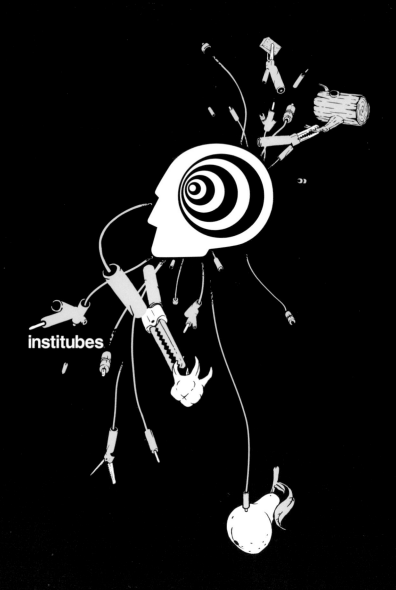

NEXT PAGE:
FEATURING
BERTRAND CHARLOT
PHOTOGRAPHS: THOMAS DESCHAMPS

PAGE SUIVANTE :
FEATURING
BERTRAND CHARLOT
PHOTOGRAPHIES : THOMAS DESCHAMPS

« KICKIN' ASS »
SÉRIGRAPHIE DEUX COULEURS
70 x 100 CM
SOIXANTE EXEMPLAIRES
EXPOSITION AU LAZY DOG
2005

"KICKIN' ASS"
2 COLOUR SCREENPRINT
70 x 100 CM
60 COPIES
EXHIBITION AT THE LAZY DOG
2005

« KICKIN' ASS »
COUSSINS ENFILABLES
TISSUS DE TOUTES LES COULEURS
COUSUS ENSEMBLE
GRÂCE À AUDREY
EXPOSITION AU LAZY DOG
2005

"KICKIN' ASS"
STACKABLE CUSHIONS
ALL COLOURS OF FABRIC
SEWN TOGETHER
COURTESY OF AUDREY
EXHIBITION AT THE LAZY DOG
2005

« KICKIN' ASS »
PAR BERTRAND CHARLOT
GRAND FRÈRE DIX EXEMPLAIRES
PETIT FRÈRE VINGT EXEMPLAIRES
ET POIRIER NEUF EXEMPLAIRES
ETAIN, 11 x 3,5 x 5 CM
2005
PHOTOGRAPHIES :
THOMAS DESCHAMPS

"KICKIN' ASS" BY
BERTRAND CHARLOT
[BIG BROTHER] 10 COPIES
[LITTLE BROTHER] 20 COPIES
AND [HANDSTAND] 9 COPIES
TIN, 11 x 3,5 x 5 CM
EXHIBITION AT THE LAZY DOG
2005
PHOTOGRAPHS: THOMAS DESCHAMPS

84

INTERVENTION SCÉNOGRAPHIQUE
AUX « PI DAYS »
MAISON DE LA DANSE DE LYON
VINYLE NOIR ET BAIE VITRÉE
MASTERMINDED PAR AKROE
2005

STAGE DESIGN FOR
THE "PI DAYS"
MAISON DE LA DANSE, LYON
BLACK VINYL AND BAY WINDOW
MASTERMINDED BY AKROE
2005

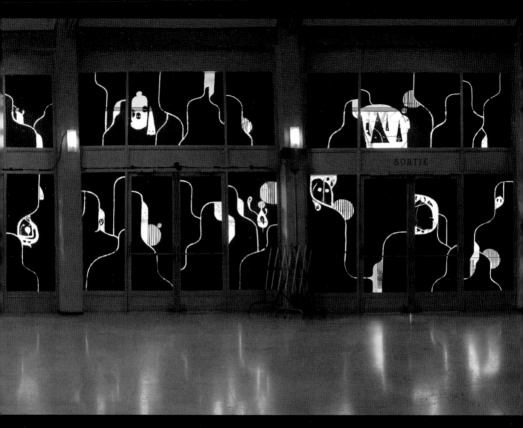

SORTIE

EXPOSITION « NUSIGN 2.4 »
TECHNIQUES MIXTES
SUR PANNEAUX DE BOIS
PARIS, 2004
PHOTOGRAPHIES : THIERRY LEDÉ

"NUSIGN 2.4" EXHIBITION
MIXED MEDIA ON
WOOD PANELS
PARIS, 2004
PHOTOGRAPHS: THIERRY LEDÉ

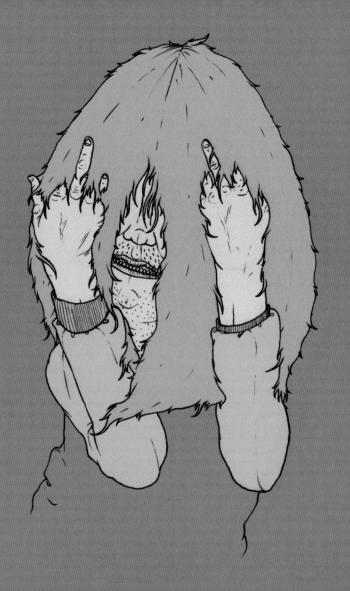

SPÉCIALE DÉDICACE
TECHNIQUES MIXTES
2004

SPÉCIALE DÉDICACE
MIXED MEDIA
2004

SANS TITRE
RECHERCHE PERSONNELLE
STYLO BILLE SUR PAPIER MACHINE
21 x 29,7 CM
2003

UNTITLED
PERSONAL RESEARCH
BALLPOINT PEN ON MACHINE PAPER
21 x 29.7 CM
2003

STICKERS ARTISANAUX
2001-2004

HANDMADE STICKERS
2001-2004

STICKERS KRSN
GRÂCE À MON PETIT POTE
2005

KRSN STICKERS
THANKS TO MY LITTLE MATE
2003

VIE DE RUE
AUTOCOLLANTS ET RUES DE PARIS
2002-2003

(STREET LIFE)
STICKERS AND PARIS STREETS
2002-2003

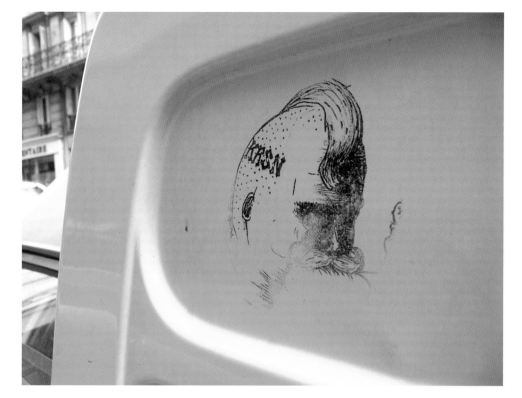

PAGES 94-101 :
TRANSFERTS
PHOTOCOPIES ET TRICHLORÉTHYLENE
PARIS
2002-2004

PAGES 94-101 :
TRANSFERS
PHOTOCOPIES AND TRICHLORETHYLENE
PARIS
2002-2004

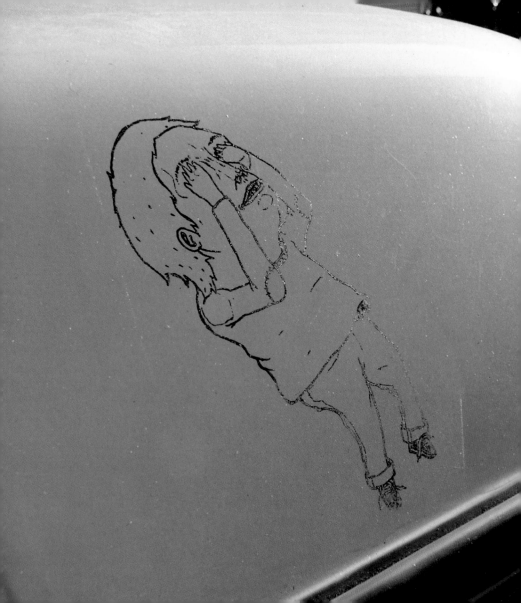

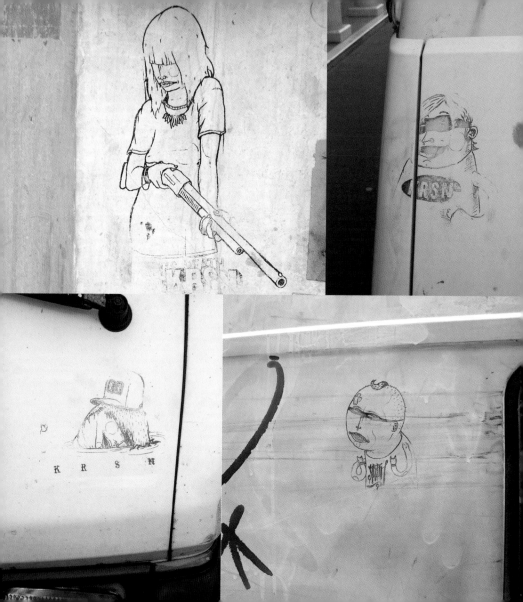

VOIR LA VIE EN ROSE
PEINTURE AEROSOL
PARIS
2004

[LOOKING ON THE BRIGHT SIDE OF LIFE]
SPRAY PAINTING
PARIS
2004.

MY LEGENDARY GIRLFRIEND
PEINTURE AEROSOL
COLOMBES
2003

MY LEGENDARY GIRLFRIEND
SPRAY PAINTING
COLOMBES
2003

SOME TIMES I'M DREAMING
DIPTYQUE
PEINTURE AÉROSOL
PARIS
2005

SOME TIMES I'M DREAMING
DIPTYCH
SPRAY PAINTING
PARIS
2005

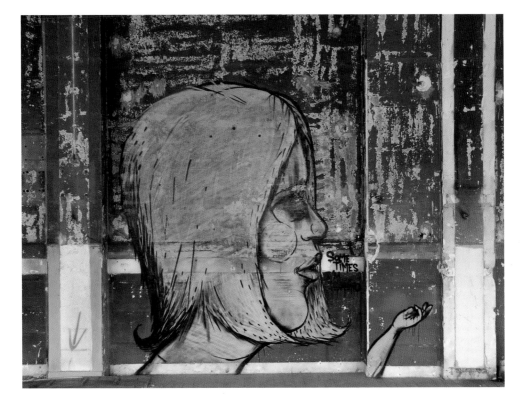

PAGE SUIVANTE :
LE LOCATAIRE DU GRENIER
PEINTURE AÉROSOL
LUXEUIL
2005

NEXT PAGE:
[THE TENANT IN THE ATTIC]
SPRAY PAINTING
LUXEUIL
2005

WHITE CORPORATE MALES
HAVE FEELINGS TOO
PEINTURE VINYLIQUE ET AÉROSOL
VICHY
2005

WHITE CORPORATE MALES
HAVE FEELINGS TOO
VINYL AND SPRAY PAINTING
VICHY
2005

LA TASQUILLA DE PEDRO
COLLABORATION AVEC AKROE ET PEDRO
PEINTURE AÉROSOL
SARAGOSSE, ESPAGNE
2005

LA TASQUILLA DE PEDRO
COLLABORATION WITH AKROE AND PEDRO
SPRAY PAINTING
SARAGOSSE, SPAIN
2005

ACCIDENT
PEINTURE AÉROSOL
SORGUES
2005

ACCIDENT
SPRAY PAINTING
SORGUES
2005

SLASH
PEINTURE AÉROSOL
FLEURY-LES-AUBRAIS
2004

SLASH
SPRAY PAINTING
FLEURY-LES-AUBRAIS
2004

ILLUMINATION N°3
PEINTURE AÉROSOL
FLEURY-LES-AUBRAIS
2004

ILLUMINATION NO 3
SPRAY PAINTING
FLEURY-LES-AUBRAIS
2004

C'EST PAS DE MA FAUTE !
PEINTURE VINYLIQUE ET AÉROSOL
PAVIE, ITALIE
2004

IT'S NOT MY FAULT !
VINYL AND SPRAY PAINTS
PAVIA, ITALY
2004

[THE MONITOR]
SPRAY PAINTING
AT A PRIMARY SCHOOL
DIFFERDANGE, LUXEMBOURG
2003

LE SURVEILLANT
PEINTURE AÉROSOL
SUR ÉCOLE PRIMAIRE
DIFFERDANGE, LUXEMBOURG
2003

[THE GREEN TANK]
VINYL AND SPRAY PAINTS
VICHY
2002

LA CUVE VERTE
PEINTURE VINYLIQUE ET AÉROSOL
VICHY
2002

VACANZE & CANNOCCHIALI DI SOLE
PEINTURE VINYLIQUE ET AÉROSOL
BUBBIANO, ITALIE
2004

VACANZE & CANNOCCHIALI DI SOLE
VINYL AND SPRAY PAINTS
BUBBIANO, ITALY
2004

BYE BYE
TRANSFERTS
PHOTOCOPIE ET TRICHLORÉTHYLÈNE
PARIS
2002

BYE BYE
[TRANSFERS]
PHOTOCOPY AND TRICHLORETHYLENE
PARIS
2002

L'ADI...

ASSOCIATION DE DEFENSE DE L'IL...

Habitantes, habitants

...ou...faire suite au rasser...bl...
...rrains organisé le 24 octo...
...v...nt le b...que de Lanery...
...sée par L'ADIL aux...

D...ns cette question nous der...
...tretien décent des parti...
...ttoyage, éclairage...
...reloger les bidonv...s o...
...le dén...art...rochain du...
...oration.

...anifes...ez votre vol...té d...

REMERCIEMENTS / ACKNOWLEDGEMENTS

Pour votre précieuse aide, vos encouragements, vos conseils et pour avoir été présents, MERCI /
For your precious help, your encouragement, your advice, and for being there, THANK YOU

Mr. G. et Mme. L., leur petit-fils, le père de celui-ci ainsi que sa mère. Denise et Jean, Martha et Wolf, Françoise, Karen, Bernd, Bertrand, Bertrand, Nono, Nico, Bellerive et ses faubourgs, Julien et Thomas, les APS, le 03 et le 63.

Audrey, Fabienne, Gwen, Florence et leur famille.

Les Mutans présents : Ambrio, Akroe, le Ben, Benj, Deerocco, Émilie, Fleur, Franki, Fred, Kaïs le raïs, Kaki, Klou, Manuboy, Marine, Nino, NTB, Raph, Senobus, Viff 1... et futurs.

Lionel, Fanny, Wanda, Sixpack, Tacteel & Institubes, Romuald Dawg and family. Dixie, Kev Grey, Kid Acne, Gomez, FF, Frédéric, Tim & Anton, Sam, Stak, Silvano, Federico, Stefano, Sara & Paola, Piero, Pete, Luis y su banda, Markus, Laurent, Seb, RoyalCheese, Sumo. Priska, Guy, Philippe et leurs costumes.

L'IAV 99, Mr. Monnier, la vieille garde d'Orléans, VS, C456.

La « créa » et celles et ceux qui furent ou sont encore Wunderfull.

Céline, Nathalie, Pierre.

Ainsi qu'à toi aussi / And you too.